Meine Physik 2

Calogero Bascone

Meine Physik 2

Die Vierte Dimension

Anschrift des Autors:
Calogero Bascone
Baumhofstr. 12
44799 Bochum
Tel.: 0171/8241728
0234/7731304

ISBN 3-00-006448-6
Herstellung: Libri Books on Demand

Inhaltsverzeichnis

MOTTO

Nach der Physik , kann der Inhalt im Universum nicht aus dem Nichts erschaffen werden. Da das Universum existiert, entsteht eine Physik die sich in ihren eigenen Grundlagen widerspricht. Wenn das möglich ist , ist alles möglich.

Bascone, Calogero

Vorwort

Mit der Vierten Dimension wird die Zeit definiert. Wir durchlaufen kontinuierlich einen Übergang von der Vergangenheit in die Zukunft durch die Gegenwart, die sich ständig durch das Weltall immer wieder erneuert . Ich weiß nicht, ob wir Menschen in unserem derzeitigen evolutionären Entwicklungsstand in der Lage sind, die Vierte Dimension zu begreifen oder zu erfassen. Denn es ist ein sehr kompliziertes Gebiet.

Die Menschen neigen dazu, die Vierte Dimension passiv zu betrachten. Wir haben Kalender mit Jahresunterteilungen. Die Tage sind in Stunden eingeteilt in einem einhaltlichen System, und wenn die Uhr eine Zeit anzeigt, gilt sie als selbstverständlich für alle, die sich in der gleichen Zeitzone befinden. Wenn wir jedoch in die Zeit Reisen wollen , in Zukunft oder Vergangenheit und diese Gegenwart verlassen wollen, stellen wir alles in Frage. Wir machen uns über dieses Thema entweder lustig oder behaupten, dass es nicht ginge, weil es physikalisch nicht möglich sei. Es ist jedoch ein faszinierendes Thema, das die Menschen immer wieder beflügelt. Wir schreiben Phantasiebücher oder drehen Filme über Zeitreisen, so genannte Science Fiction. Mit allen möglichen Varianten, die natürlich ohne wissenschaftliche, physikalische oder theoretische Grundlagen sind.

In der Geschichte gibt es nur einen Wissenschaftler, der sich mit der Vierten Dimension beschäftigt hat: Albert Einstein. In seiner Relativitätstheorie erklärt er, dass, wenn einer von zwei Zwillingen sich auf eine Reise in den Weltraum begeben würde und mit sehr hoher Geschwindigkeit reisen würde, es passieren könnte, dass nach der Rückkehr auf die Erde sein Zwillingsbruder um viele Jahre gealtert sein würde .

Es wurde aufgrund dieser Theorie ein Experiment mit zwei sehr genauen Atomuhren durchgeführt. Nachdem eine in einem Flugzeug um den Globus geschickt wurde und die Uhren wieder zusammenkamen, konnte bewiesen werden, dass eine Uhr etwas durch die Zeit verschoben war. Sie war jedoch nicht in die Zeit gereist, sonst wäre sie nicht mehr in unserer Gegenwart.

Die Theorie von Einstein ist richtig, aber unvollständig. Es gibt andere Theorien, die Zeit mit Gravitation verknüpfen. So nach dem Motto: Auf einem Planeten mit Gravitation vergeht die Zeit langsamer. Auf der Oberfläche und auf einem sehr hohem Gebäude oder auf der Umlaufbahn ist dieser Planet schneller. Diese Theorie überzeugt mich nicht , beinhaltet auch keine physikalischen Grundlagen.

Ich möchte in diesem Buch die Vierte Dimension lückenlos entschlüsseln – unter Darlegung streng logischer und physikalischer Aspekte, so dass man auf theoretische Weise in die Zeit reisen kann , beliebig in Zukunft oder Vergangenheit: durch Berechnungsgrundlagen die darauf beruhen, den Aufbau und das Verhalten des Universums so zu deuten, daß man seine Funktionalität verstehen kann.

Was ist Physik ?

Wenn sich die Frage stellt, was Physik ist, hält man meist lange Reden. Man kommt leicht in Erklärungsnöte. Im Allgemeinen ist diese Frage nicht so leicht zu beantworten. Die Physik ist als Fach in verschiedene Bereiche unterteilt, zum Beispiel Astrophysik , Grundlagen , Theoretische , Atom u.s.w. Es wäre wichtig, einen Begriff für dieses Fach zu verwenden, der logisch aufgebaut und klar definiert ist. Nach meinem Begriff ist Physik Inhalt, Verhalten, Zustand unseres gesamten Universums. Diese drei Begriffe sind miteinander verkettet und schaffen die Grundlagen für die Theoretische Physik. Diese unterteilt sich sogar in andere Fächer wie Chemie oder Biologie. Die Physik ist natürlich bis heute nicht vollständig erklärt.

Der Inhalt im Universum hat ein Verhalten bzw. der Inhalt sind in der Grundaufteilung Materie und Energie, wobei in einem universellem Kreislauf Materie sich ständig in Energie umwandelt und Energie in Materie. Damit ist dieses universelle Grundverhältnis gegeben, das zum Zustand in unserem Universum führt. Dabei ist anzumerken, dass alle Atome im Universum aus einem Atomkern bestehen, der langsam seine Materie verliert. Sie wandelt sich in Gravitationskraft bzw. Energie um, die mit hoher Geschwindigkeit sich ausbreitet und damit im Universum sämtliche physikalischen Gesetze auf natürlichem Wege erzeugt. Der Kreislauf ist dann geschlossen, wenn durch die Gravitationskraft , die vorher auch Materie war, durch diese selbst auch andere Energieformen anziehen kann und in Schwarzen Löchern wieder zu Materie verdichtet. Selbst wenn dieser Kreislauf logisch nachvollziehbar und begriffen wird, ist die Physik noch nicht vollständig erklärt. Ich würde sagen, wir sind auf dem Weg. Verhalten und Zustand sind zwar logisch nachvollziehbar aber, der Inhalt ist noch zu erklären.

Nach der Physik kann Materie bzw. Energie nicht vermehrt oder vermindert werden. Nach der Physik dürfte der Inhalt nicht existieren. Aber erst die Beantwortung des Inhalts im Universum kann die Physik vervollständigen. Vielleicht müssen wir uns an den Gedanken gewöhnen, dass der Inhalt schon immer da war. Bis ich mich daran gewöhnt habe, wird noch sehr viel Zeit vergehen.

Im Zusammenhang mit dem Inhalt steht der Raum , der Raum besteht im eigentlichem Sinn aus einem Vakuum bzw. Nichts. Was für mich nicht plausibel klingt, ist die Definition „Raum". Ich sitze gerade in einem Raum , ich kann ihn übersehen und gedanklich erfassen. Vor allem zeichnet er sich durch seine Begrenzung aus. Im Weltraum kann ich keine Begrenzung feststellen. Ich kann mir auch keine vorstellen.

Meine Art, so zu argumentieren, sollte dazu verleiten, den Begriff „Weltraum" zu überdenken.

Im Mittelalter hatten die Menschen das Problem, dass, wenn die Erde rund wäre, sie auf der unteren Seite herunterfallen würden. Sie akzeptierten eher, dass die Erde flach war, als die Tatsache, dass es im Raum kein Oben und Unten gab.

Wenn wir heute die Vierte Dimension verstehen wollen, müssen wir akzeptieren, dass es im Universum keinen Raum gibt und auch keine Begrenzungen, sondern von einer Gegenwart in die andere fließende Übergänge. Wenn wir den Weltraum beobachten, müssen wir bedenken, alles was wir sehen, ist nicht da, wo wir es sehen. Wir haben mehr Verbindungen mit dem, was wir nicht sehen, als mit dem, was wir sehen.

Die Vierte Dimension

Was die Vierte Dimension ist, weiß eigentlich jeder. Die ersten drei Dimensionen erlauben die physikalische Bewegung in alle Richtungen. Mit der Vierten Dimension wird die Zeit definiert. Alle Vier Dimensionen sind miteinander verkettet und untrennbar. Keine davon kann jemals in irgend einer Form abgeschaltet werden.

Im Universum gibt es keinen Stillstand, somit sind die Dimensionen ein Bestandteil der physikalischen Grundlagen, Inhalt, Verhalten und Zustand. Jedoch müssen wir im Bereich der Dimensionen etwas beachten: das Verhalten der Materie und der Energie. Wir dürfen nicht vergessen, dass wir Menschen auch aus den genannten bestehen und somit den physikalischen Ablauf beinhalten, verbunden mit einer Biologischen Uhr, die wir nicht beeinflussen können. Egal wo wir sind, überall im Universum werden unsere Materie und Energie sich physikalisch verhalten.

Anders ist es mit dem Ereignisablauf. Wir unterliegen der Vierten Dimension kontinuierlich, ohne dass es uns bewusst ist. Unser Planet Erde unterwirft uns verschiedenen Bewegungen durch Rotation um sich selbst und die Umlaufbahn um der Sonne. Wir bewegen uns gleichzeitig durch Raum und Zeit, ohne dass wir darauf einen Einfluss haben. Aber auf technischem Wege ist noch alles offen. Die Erde hat eine Geschwindigkeit um die Sonne von ca. 30 Km/s und wir mit ihr. Wenn wir uns dieser dritten Dimension entziehen wollen, brauchen wir ein Transportsystem, das sich unabhängig von der Erde frei im Raum bewegen kann. Wenn wir mit unserem Transportsystem die Gravitation der Erde überwinden und genug Geschwindigkeit erreichen, können wir uns aus der dreidimensionalen Gefangenschaft der Erde befreien, bleiben jedoch in der Vierten Dimension gefangen. Wenn unser Ziel in unserer Zeit auf einem anderen Himmelskörper ist, müssen wir die Entfernung und die Geschwindigkeit bedenken bzw. berechnen. Es ist klar: Wir kommen entsprechend später am Ziel an, aber in der parallelen Zeit. Vielleicht mit etwas Zeitdifferenz. Um sich von der Vierten Dimension zu befreien, wenn man in Vergangenheit oder Zukunft reisen möchte, muss man bestimmte Grundlagen kennen und ein technisches Hilfsmittel mit besonderen Eigenschaften besitzen.

Jedoch geht es hier um die physikalischen Grundlagen, die eine theoretisch nachvollziehbare Rechnung zulassen.

Das Prinzip zum Reisen in die Vierte Dimension

Jeder Mensch ist stark mit seiner Gegenwart verbunden, in viele Fällen ist uns das nicht bewusst. Wir sind an einem Ort zu einer bestimmten Zeit geboren und das prägt uns unser ganzes Leben, egal wo auf der Erde. Wir denken oft über unseren Ursprungsort nach, haben unter Umständen Heimweh oder im umgekehrten Sinne sind wir froh, dass wir in einem besserem Land leben. Immer mit der Verbundenheit zu unserem Ursprungsort bzw. -land, das zum Teil für die Prägung unserer Persönlichkeit wichtig ist. Aber auch unser Geburtsdatum bzw. die Zeit, in der wir geboren sind, prägt uns. Gute oder Schlechte Zeiten machen aus uns, was wir sind.

Wenn wir in eine andere Zeit bzw. Epoche reisen würden und in dieser leben, wären wir mit unserer Herkunft und Zeit zumindest in unseren Gedanken verbunden, genau wie mit unserem Ursprungsland. Raum und Zeit schaffen eine Gegenwart und mit dieser Gegenwart sind wir stark verbunden.

Auch wenn wir uns dessen nicht so bewusst sind, unsere Gegenwart entsteht durch Raum und Zeit. Raum und Zeit entstehen wiederum durch die vier Dimensionen, die nicht voneinander zu trennen sind.

Unser Bewusstsein ist durch unser Universum geprägt, durch sein Verhalten und durch seine Geheimnisse, die es nach und nach offenbart. Schrittweise entschlüsseln wir es. Ich hoffe, dass wir nicht am Ende enttäuscht sind darüber, wie simpel die Mechanik des Universums ist: Eine mögliche einfache Dynamik, die durch motorisches Verhalten eine Vielfalt von Kreation hervorbringt, die ins Unendliche reicht.

Durch das Verhalten der Materie im Universum ergibt sich auf logische Weise eine Grundlage, die uns dazu verleitet zu denken, es gäbe eine Intelligenz dahinter, die übermächtig ist. Wir kommen auf das gute Beispiel immer wieder zurück: oben und unten.

Im Mittelalter glaubten die Menschen, die Erde sei flach, der Himmel sei oben, die Erde sei unten. Wir wissen heute, dass es nicht so ist. Aber es gibt immer noch oben und unten.

Auf der Erde wird dieses Phänomen als Grundlage in allen möglichen Bereichen genutzt. In der Pflanzenwelt, Tierwelt aber auch im technischen Bereich. Denn auch die Flugzeuge navigieren nach dem Prinzip „oben und unten", obwohl wir wissen es gibt kein Oben und Unten gibt. Dieses künstliche Phänomen ist auf natürliche Weise entstanden. Es hat sich so ergeben. Durch das Grundverhalten im Universum und in unserem Bewusstsein durch die Evolution wurde es eingeprägt. Selbst wenn wir in einem Raumanzug im Weltraum schweben würden und die Erde weit weg von uns wäre, würden wir einen Bezugspunkt als Grundlage für oben und unten suchen. Wir müssen uns daran gewöhnen, etwas zu löschen, was fest in unserem Bewusstsein eingeprägt ist. Wir müssen auch bedenken, dass dieses auf natürliche Weise entstandene Phänomen nie richtig begriffen wurde, es wurde einfach nur zur Kenntnis genommen. Jeder Mensch hat seine Grenze und ich glaube auch, dass jeder Mensch seine Grenze erreicht, das Oben und Unten wäre nur ein Beispiel.

Alles in unserem Universum ergibt sich durch sein Grundverhalten. Auch die vier Dimensionen. Wir befinden uns in einer Gegenwart, die sich wandelt, denn im Universum ist alles in Bewegung. Die Bewegung ist auf physikalisches Verhalten von Energie und Materie zurückzuführen. Ohne dieses Verhalten gäbe es keine Gegenwart. Auch die Materie in unseren Körpern hat dieses Verhalten. Auch unsere Atome senden Gravitation aus und tragen dazu bei, dass wir durch Raum und Zeit reisen. Wir sind ein kollektiver Bestandteil im Universum.

Das Prinzip zum Reisen in die Vierte Dimension besteht darin das wir uns auf Technologischer weise aus unserer Gegenwart entziehen. Wenn das gelingt sehen wir uns mit dem gleichen Phänomen konfrontiert, Oben und Unten. Und auch andere Phänomene die sich durch das Grundverhalten im Universum ergeben. Die Gegenwart ist Bestandteil eines Prozesses der durch Bewegung entsteht. Wie wir Wissen sind wir auf natürlicher Weise in diesem Prozess gefangen in Raum und Zeit. Was aber nicht heißt, dass wir uns nicht durch Technologie befreien können.

Wir müssen die Zeitmauer überwinden, um schließlich durch das Zeitspektrum in die Zeit reisen zu können. Zeitspektrum und Zeitmauer sind neue Begriffe, die ich oft in meinen weiteren Erklärungen in Zusammenhang mit Licht bzw. dem Licht eines Sterns oder dem unserer Sonne erwähne. Sie dienen einer einfachen Erklärung: Der Verursacher und Träger der Gegenwart ist der Gravitationsfluss, der aus jedem Atom in unserem Universum ausgesandt wird.

Die Erde z.B. sendet auch Gravitation aus, die die Grundlage bildet für ihre eigene Bewegung; diese wiederum wird auch vom Gravitationsfluss der Sonne beeinflusst. Deshalb wird die Erde in ihrer Bewegung abgelenkt. Die Gravitation, die ausgesandt wird, breitet sich im Weltraum aus und trägt ständig unsere Gegenwart, wie ein Tonfilm der sich im Raum ausbreitet. Dieser Prozess, ständiges Aussenden der Gravitation, sorgt für Bewegung im Raum und somit für eine ständig neue Gegenwart.

Der Weltraum entsteht durch seinen Inhalt; wo kein Inhalt ist, da gibt es auch keinen Raum. Das Universum ist da räumlich zu Ende, wo die Physik nicht hinkommt. Da der Gravitationsfluss für die Physik verantwortlich ist, reicht er sogar weiter als das Sternenlicht, da dieses sich ablenken lässt. Durch die Gravitation wird selbst unsere Gegenwart bis ans andere Ende des Universums getragen. Sie verbindet sich mit der Gegenwart anderer Himmelskörper, so dass wir eine kollektive Brücke schaffen. Wenn wir z.B. ein Stern am Himmel sehen, ist er nicht gegenwärtig. Um seine gegenwärtige Position zu ermitteln, müssen wir Berechnungen anstellen, um eine gegenwärtige Brücke zu ermitteln. Durch die Berechnung akzeptieren wir die physikalische Gefangenschaft in unserer Bewegung durch Raum und Gegenwart. Wir kennen unsere Grenzen, die darin bestehen das der Gravitationsfluss unserer Körper ständig durchflutet wird und für Physik und die dazugehörige Gegenwart sorgt. Nur wenn wir uns vom Gravitationsfluss isolieren bzw. abschirmen, schaffen wir die Voraussetzung, uns von der Gegenwart zu befreien.

Dreidimensional gesehen, kann uns ein Transportsystem schnell an einem Ort bringen, jedoch in der gleichen Gegenwart. Vierdimensional gesehen, muss ein Transportsystem durch Abschirmung von der Gravitation die Physik aufheben, damit wir keinen Belastungen ausgesetzt sind, die uns ein Ausbrechen aus unserer Gegenwart unmöglich machen.

Das Zeitspektrum

Grade in unserem hektischem Zeitalter muss uns bewusst werden, dass die Vierte Dimension bzw. die Zeit nur die Erweiterung der anderen drei Dimensionen ist. Unser Leben ist zeitlich begrenzt. Den Raum, den wir nutzen, verändert sich ständig. Wir sind gefangen in einer Bewegung durch den Weltraum und wir durchlaufen eine natürlich rhythmische Zeit. Wir befinden uns nie in zwei unterschiedlichen Zeitabschnitten im gleichen Raumabschnitt bzw. Weltraumabschnitt bei jeder Koordinate der Erde. In dem Raum gibt es jeweils einen dazugehörigen Zeitabschnitt, daher müssen wir beide Komponente überwinden, wenn wir uns aus der natürlichen Gefangenschaft durch Raum und Zeit lösen wollen.

Bei einer Materie, die sich auf einem wissenschaftlichen Neuland befindet, entstehen neue Begriffe , zwei unverzichtbare Begriffe sind die *Zeitmauer* und das *Zeitspektrum*. Dies sind zwei Hürden, die man überwinden muss, um in die Zeit zu reisen. Die Zeitmauer stellt die dreidimensionelle Hürde dar. Wenn man diese überwunden hat, kann man durch das Zeitspektrum in die Vierte Dimension navigieren.

Zunächst beschäftigen wir uns nur mit dem Zeitspektrum. Wenn die Erde sich durch den Raum bewegt, hinterläßt sie wie alle anderen Himmelskörper ein Zeitspektrum, das nicht sichtbar ist. Damit wir eine bessere Vorstellung haben, bringen wir es in Verbindung mit dem Licht, das die Erde in den Weltraum abstrahl, was ursprünglich Sonnenlicht war. Dazu machen wir in Gedanken ein Experiment.

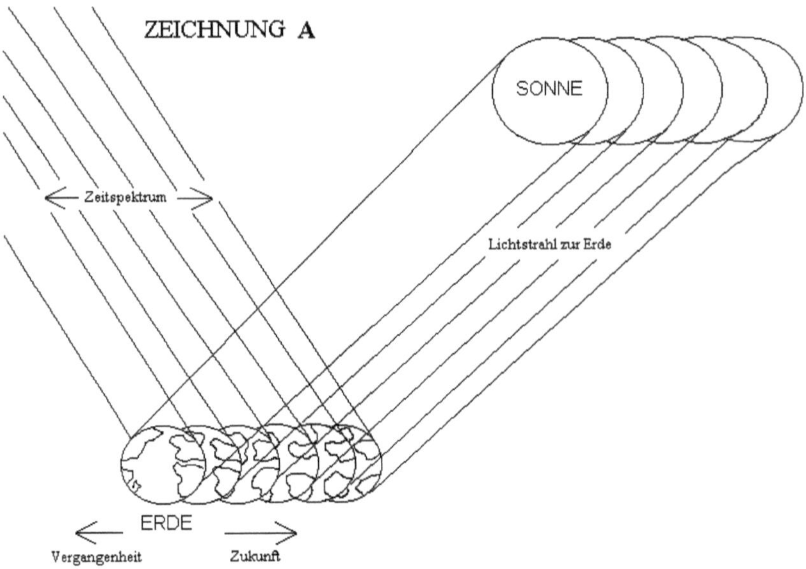

Das Zeitspektrum ist reel nicht sichtbar, aber die bewegung der Erde mit allen anderen Himmelskörpern ist nachvollziehbar als anhaltspunkt können das reflektierende Licht der Sonne verwenden.
Wenn wir mit einem geignetem Flugkörper die Zeitmauer überwinden können wir entlang dem Verlauf der Erde durch das Zeitspektrum in die Vierte Dimension durch die Zeit reisen.

Wenn ein Raumfahrer mit seinem Fahrzeug parallel mit dem reflektierten Licht der Sonne von der Erde wegfliegt, zurücksieht und beobachtet, wie sich die Leute von ihm verabschieden – angenommen er verfügt über eine Optik die es im erlaubt, immer zurückzuschauen – wird er merken, dass, je schneller er fliegt, desto langsamer die Bewegungen der Leute werden. Wenn er Lichtgeschwindigkeit erreicht hat, wird er bemerken, dass das Bild in der Optik zum Stillstand gekommen ist. Das heißt, er fliegt zusammen mit dem gleichen Lichtabschnitt.

Das reflektierte Licht der Sonne, das von der Erde abgestrahlt wird, kann man sich wie ein Filmband vorstellen, das sich im Weltraum verliert. Wenn der Raumfahrer seinen Flug verlangsamt, fangen die Bilder in seiner Optik an in Zeitlupe zu laufen, entsprechend der Geschwindigkeit. Falls sein Flug zum Stillstand kommt, wird er bemerken, dass die Bilder wieder normal laufen.

Wenn er zurückfliegt, werden die Bilder im Zeitraffer immer schneller. Je schneller er fliegt, desto schneller läuft der Film bzw. der Ereignisablauf, den er durch die Lichtreflexion auffängt.

Wenn die Erde im Raum still stehen würde, an einem fixiertem Punkt, dann bräuchte der Raumfahrer nur dieser Reflexion zu folgen, wie an einer Schnur. Die Erde steht aber nicht auf einem fixierten Punkt, sondern sie bewegt sich mit einer Geschwindigkeit von ca. 30 Km/s, so dass jedes Bild aus der Reflexion seines entsprechenden Ursprungspunkts im Raum kommt. Der Raumfahrer muss sich im Klaren sein, dass er sich in einem Spektrum befindet, in dem er sich verschieben kann. Und wenn er einen Bogen fliegt, verschiebt er sich von einer Reflexion in die andere und jede davon kann zurückverfolgt werden, bis zur jeweiligen Ursprungsposition in Raum und Zeit. Der Raumfahrer muss nur von Bogenflug auf Parallelflug steuern, wenn er die Zeitreise beenden will.

Wie ich am Anfang dieses Kapitels erläuterte kann man das Zeitspektrum nicht beobachten, aber man kann es sich vorstellen. Aufgrund der Erdbewegung in Verbindung mit der Lichtrefexion der Sonne.

Wenn jemand in der Zeit reisen will, braucht er auch nicht mit Lichtgeschwindigkeit zu reisen. Um sich durch die

Zeit zu verschieben, braucht er nur die Zeitmauer zu durchbrechen, die eine wesentlich niedrigere Geschwindigkeit erfordert. Und dabei braucht er sich auch nicht in der Zeit zu verschieben, sondern er kann in die Zeit springen, siehe Kapitel „Die Zeitmauer“.

Es gibt Energiequellen die sich mit Lichtgeschwindigkeit bewegen und auch natürlich Zeit und Raum unterlegen sind.

Eine Organisation in der Vereinigten Staaten, die sich abgekürzt S.E.T.I nennt, versucht mit sehr großen Radioteleskopen im Radiobereich den Weltraum abzutasten bzw. zu durchsuchen und hofft dabei auf Radiosignale zu stoßen, die einen künstlichen Ursprung haben und vielleicht von außerirdischen Zivilisationen stammen, die ungefähr unsere technologische Entwicklungsstufe haben. Dass man eine Nadel in vielen Heuhaufen sucht, ist klar, und wenn man die Entfernung der Sterne berücksichtigt, kann von Kommunikation nicht die Rede sein.

Es wäre schön, wenn man überhaupt irgendwelche Signale empfangen würde. Nach meiner Theorie ist dies nicht möglich. Nehmen wir mal an, es gäbe in 100 Lichtjahren Entfernung einen Planeten, der uns eine Nachricht im Radiobereich schickte. Diese Nachricht dauert zum Beispiel 10 Minuten. Wir erwarten, dass diese Nachricht nach 100 Lichtjahren von unseren Radioteleskopen aufgefangen wird. Wichtig für uns ist, dass die Nachricht in einem Stück und in der richtigen Reihenfolge ankommt. Dies ist aber nur möglich, wenn die Nachricht einen strikten parallelen Kurs bzw. eine gradlinigen Ausbreitung durchwandert hat. Wie wir aber von Albert Einstein wissen, ist das Weltall gekrümmt. Die Radiowellen, ebenauso wie die Lichtwellen, lassen sich auf ihrem Weg von der Gravitation anderer Himmelskörper ablenken .Somit verschieben sich die Radiowellen in der Zeit , da alle Himmelskörper sich in einer permanenten Bewegung durch das Weltall befinden, natürlich mit individueller Geschwindigkeit. Man muss davon ausgehen, dass die 10 Minuten lange Nachricht durch die Ablenkung einer Sonne, die sich in Bewegung befindet, zerstückelt worden ist und sich in das Zeitspektrum aufgeteilt hat. Je nach Stärke und Geschwindigkeit der von der Himmelskörper verursachten Ablenkung kann die Nachricht in unzähligen Bruchstücken verteilt auf Tage , Monate oder Jahre durch unser Radioteleskop aufgefangen werden, jedoch durch die Zeit unkenntlich gemacht worden ist. Wenn man die Zeitverschiebung berücksichtigt, gibt es viele Parameter, die anzuwenden sind, die das ganze aussichtslos machen.

Wenn wir in dem Weltall horchen wollen, müssen wir einen anderen Weg finden. Wir sind auf jeden Fall einen Schritt weitergekommen, wenn wir die Theorie der vierten Dimension berücksichtigen.

Die Zeitmauer

Die Zeitmauer ist ein Begriff, den wir mit der Schallmauer im Zusammenhang bringen.

Effektiv gibt es nur teilweise einen Zusammenhang, Die Schallmauer ist eine Begrenzung. Der Schall hat eine Geschwindigkeit, wie schnell spielt keine Rolle, das Wichtige ist, dass wir ihn mit einem schnellen Transportmittel überholen können.

Theoretisch könnten wir das Gespräch der letzten 10 Minuten zurückverfolgen, um es uns nochmal anzuhören. Indem wir den Schall überholen, schaffen wir eine neue Situation. Durch schnelle Bewegungen machen wir uns unabhängig und übernehmen die Regie. Zeitmauer und Schallmauer sind nur zwei physikalische Begrenzungen, die Parallelen ziehen, aber ansonsten nicht miteinander vereinbar sind. Die Zeitmauer ist die Begrenzung der drei Dimensionen. Wenn wir diese überwinden, haben wir die Voraussetzung geschaffen um in der Vierten Dimension zu reisen. Als Faustregel: die Zeitmauer entspricht der Geschwindigkeit unseres Planeten Erde. Wenn wir in die Vierte Dimension reisen, müssen wir uns von den anderen 3 Dimensionen befreien. Die vier Dimensionen haben zwei Koordinaten, Raum und Zeit, Raum für Zeitmauer und Zeit für Zeitspektrum. Wenn wir um 24 Stunden in der Zeit zurück reisen wollen, müssen wir uns dreidimensional an den Ort begeben, wo die Erde sich vor 24 Stunden befand. Wir wissen ja, dass die Erde sich mit ca. 30 Km/s durch den Raum bewegt. Um die Zeitmauer zu überwinden, müssen wir uns demnach mit dem entsprechender Geschwindigkeit von 30 Km/s von der Erde weg bewegen. Wenn wir anschließend in die Vierte Dimension eintauchen wollen bzw. in das Zeitspektrum, müssen wir einen steilen Winkel fliegen. Das Optimale wäre um 90 Grad. Unter diesen Voraussetzungen könnten wir der Vergangenheit entgegen steuern. Wir könnten von einem Zeitsprung reden. Wenn wir die Möglichkeit hätten, während dieses Sprungs die Erde zu beobachten, würden wir feststellen, dass Veränderungen im umgekehrten Sinne stattfinden würden.

Solange wir die Geschwindigkeit über die Zeitmauer und den Kurs gegenüber dem Zeitspektrum beibehalten, würden wir der Zeit zurückreisen. Wenn der Kurs gegenüber dem Zeitspektrum geändert wird, kann es passieren, dass wir uns in der Zeit langsamer bewegen bzw. verschieben, oder dass wir in die jeweilige Gegenwart eintauchen. Natürlich passiert das auch, wenn wir zu langsam fliegen, unter 30 Km/s.

Die Zeichnung B stellt eine Zeitspektrumskarte dar. Zuerst muss der Verlauf der Erde ermittelt werden, damit die Voraussetzung geschaffen ist, in das Spektrum einzutauchen. Anschließend müssen wir eine Geschwindigkeit von über 30 Km/s haben, um die Zeitmauer zu überwinden bzw. zu durchbrechen, um anschließend in einem steilen Winkel nach rechts oder links bzw. Zukunft oder Vergangenheit die Zeit zu durchreisen. In die Zeit kann nur gereist werden, wenn wir einen Winkel fliegen und in das Zeitspektrum eintauchen. Wenn wir aber die Zeitmauer erreichen und weiter geradeaus bzw. parallel fliegen, dann bleiben wir in der Gegenwart.

Auch wenn wir die Geschwindigkeit weiter erhöhen, bleiben wir weiterhin in der Gegenwart, denn es ist ein zeitparalleler Flug. Während einer Zeitreise muss man bedenken, wir bewegen uns sehr schnell von Gegenwart zu Gegenwart, so dass wir nicht beobachtet werden können, weil in der jeweiligen Gegenwart auf der Erde das viel zu schnell abläuft.

ZEICHNUNG B

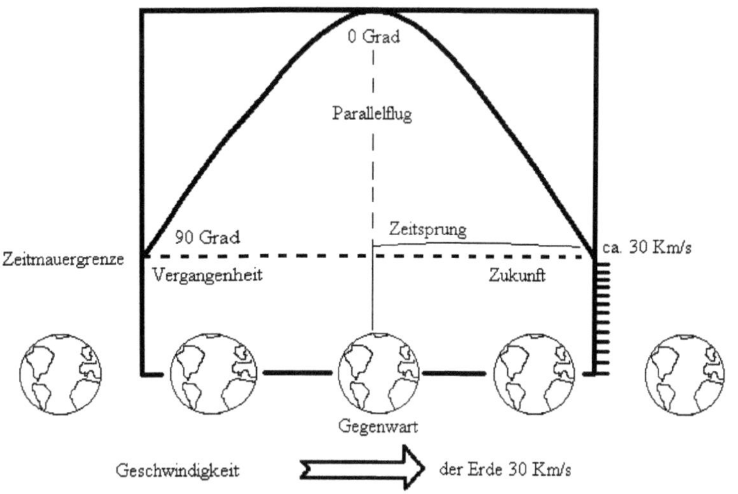

Die kürzeste Verbindung zwischen zwei Punkten ist eine Grade. Wenn diese Grade aber vierdimensional gezogen wird, von einer Gegenwart in eine andere, zerteilt sie sich jeweils von Gegenwart zu Gegenwart. Ein Betrachter aus einer Gegenwart könnte ein Bruchstück aus dieser vierdimensionalen Grade beobachten.

Wir bleiben in der materiellen Form, in der wir sind, und es besteht natürlich eine Kollisionsgefahr während eines vierdimensionalen Fluges in der Gegenwart, die wir grade durchfliegen. Die Möglichkeit ist aber sehr gering, man muss sich das so vorstellen, wenn zwei Körper sich dreidimensional in ihren Bahnen kreuzen, heiß es nicht das beide sich genau an dem Kreuzpunkt zu treffen.

Es wäre selten, aber möglich. Das Fahrzeug, das vierdimensional fliegt, hat keine Bahn, sondern einen Kreuzpunkt, der den Bruchteil einer Sekunde anhält. In seiner jeweiligen vierdimensionalen Gegenwart während eines solchen Fluges durch die Zeit entziehen wir uns unserer natürlichen Gegenwart, deshalb schaffen wir uns eine künstliche Gegenwart innerhalb des Flugkörpers. Diese künstliche Gegenwart bleibt so lange bestehen wie unser Flug durch die Zeit andauert. Sobald wir unseren Flug verlangsamen, so dass wir unsere Zeitreise beenden, dann unterliegen wir wieder dem natürlichem Zeitablauf dieser Gegenwart in die wir eingetaucht sind.

Manche Leser werden sich an dieser Stelle fragen: „Schön und gut, auch wenn diese ganze Theorie stimmt , welcher Flugkörper könnte diese Eigenschaften besitzen, um in die Zeit zu reisen und welche körperlichen Belastungen muss ein Mensch aushalten, der sich einem solchen Flug aussetzt?“

Das ganze scheint physikalisch unmöglich, doch meiner Meinung nach gibt es für jedes Problem eine Lösung. Das wichtigste Ziel ist es, die Physik als Fach zu vervollständigen, damit wir zu technologischen Möglichkeiten Zugang haben können. In der Geschichte hat es immer Herausforderungen gegeben, die für unmöglich gehalten wurden. Wie zum Beispiel Menschen, die auf dem Mond landen. In die Zeit zu reisen könnte eine ehrliche Herausforderung sein. Es ergeben sich in diesem Zusammenhang eine Serie von Fragen, darunter auch moralische und auch welche nach dem Sinn.

Mir wäre es wichtig zu erfahren, wie unser Universum aufgebaut ist und ich denke, dass es auch für unsere Weltgemeinschaft wichtig wäre. Wir könnten Probleme in der Zukunft lösen, wenn wir uns technologisch anpassen. Wir haben zur Zeit genug Probleme z.B. das Ozonloch, den Treibhauseffekt und viele andere. Wenn wir unsere technologische Entwicklung einfrieren, würde die Menschheit in einigen Generationen ernsthaft gefährdet sein. Unsere Gesellschaft ist natürlich nicht von Zeitreisen abhängig, aber das Wissen, wie unser Universum aufgebaut ist, erweitert unseren Horizont, und wir erhalten neue technologische Möglichkeiten für die Zukunft.

Um eine Zeitreise zu unternehmen müssen drei Grundvorraussetzungen gewährleistet sein: Kenntnisse über das Universum mit seinen vier Dimensionen im Zusammenhang mit Zeitspektrum, Zeitmauer und den Berechnungsgrundlagen und ein Flugkörper, der die anderen zwei Voraussetzungen erfüllen muss. Erste Voraussetzung, eine Geschwindigkeit von deutlich mehr als 30 Km/s, um die Zeitmauer zu überwinden und gleichzeitig einen Steilenwinkelflug von 90 Grad ansteuert, um in das Zeitspektrum zur reisen.

Die zweite Voraussetzung des Flugkörpers ist, dass die Passagiere dieses Manöver überleben müssen. Mit der heutigen Technologie ist das ganze undenkbar. Die Piloten oder Passagiere müssten Belastungen aushalten, die wir gar nicht auszurechnen brauchen. Es gäbe aber eine Möglichkeit: Wie ich in meinem erstem Buch „Meine Physik" erläutert habe, könnte es möglich sein, durch ein technisches Verfahren das die Gravitation im Flugkörper isoliert, die Masse des menschlichen Körpers zu entziehen. Ohne Masse gibt es auch keine kinetischen Kräfte, die sich aufbauen. Damit würden die Passagiere oder Piloten keiner Belastungen ausgesetzt werden.

Es ist zumindest ein theoretischer Anfang, der in seiner physikalischen Logik eine Aufbearbeitung verdient. Über den Antrieb eines solchen Flugkörpers und seine Funktionsweise bzw. darüber, wie ich mir die physikalische Funktionsweise vorstelle, soll hier nicht nachgedacht werden. Wir kämen vom Thema ab.

Aber ich möchte an dieser Stelle eine unwissenschaftliche Bemerkung machen, die vielleicht nicht in dieses Buch gehört. Ich bin aber geborener Logiker und ziehe alle Phänomene in Betracht. Ich habe einen Bericht über unbekannte Flugkörper gesehen, so genannte UFOs. Bei diesem Phänomen tappt die Wissenschaft im Dunkeln, es wurde sogar auf Film und Radar aufgenommen. Auch von Austronauten aus dem Weltraum, wie verrückt. Diese Objekte fliegen. Es geht nicht darum, ob ich an Außerirdische glaube oder nicht, es geht um ein Flugverhalten von Objekten, die gefilmt worden sind, wobei Austronauten oder Piloten von verschiedenen Airlines zuverlässige Zeugen sind. Diese sogenannten UFOs fliegen sehr schnell , man kann bedenkenlos sagen, sie überwinden auch die Erdatmosphäre, die Zeitmauer und fliegen steilwinklige Flüge in einem

Winkel von 90 Grad und haben damit die Voraussetzungen, in das Zeitspektrum zu reisen. In vielen Berichten heißt es, plötzlich habe sich das Objekt in Luft aufgelöst, sei einfach verschwunden oder plötzlich aufgetaucht.

Wenn ich einen Flugkörper mit diesen Flugeigenschaften hätte, würde ich genau dieses Flugmanöver durchführen, um eine Zeitreise durchzuführen. Eine andere Erklärung gibt es für solche Phänomene nicht. Wir meinen, wenn wir die Technologie besitzen würden, um Gravitation in einem Flugkörper zu isolieren, dann hätten wir zwei Fliegen mit einer Klappe geschlagen. Die Physikalische Logik besteht darin, dass, wenn Gravitation uns nicht durchdringen kann, um uns anzuziehen, dann das Gegenteil passiert: sie stößt uns ab und zwar so schnell, wie sie sich ausbreitet.

Leider ist Gravitation in ihrer Ausbreitungsgeschwindigkeit noch nicht gemessen worden. Aber was nicht ist, kann noch werden. Das Problem in der Welt der Physiker ist, dass Gravitation bis heute nicht als eine Energieform als solche anerkannt worden ist, die auch eine Ausbreitungsgeschwindigkeit besitzt. Erst wenn man das erkennt, kann man theoretische Überlegungen anstellen, um sie zu messen.

So steht es geschrieben, so soll es geschehen

Dass die Vergangenheit schon geschehen ist, das wissen wir. Aber ist die Zukunft auch schon geschehen? Der Titel dieses Kapitels spricht einen religiösen Text nach. Wenn wir in die Zukunft reisen würden, müssten wir annehmen, dass sie schon geschehen ist. Die Physik verschiebt uns auf natürliche Weise von einer Gegenwart in die andere durch Zeit und Raum. Wir könnten die Physik auf technologischem Wege überwinden und uns aus unserer Gegenwart in eine andere verschieben.

Wir haben es mit Räumen ohne Wände zu tun und es kommt die Frage auf, wie sieht es in den anderen Räumen bzw. Gegenwarten aus. Es ist klar das wir Gefangene in unserer Zeit sind, und wir können nur Spekulieren, wie es in einer anderen Gegenwart aussieht. Wir gehen in einen Bereich hinein, wo die Philosophie angebrachter ist als die Physik. Wenn wir bestimmte Vermutungen ausräumen, haben wir eine bessere Vorstellung, was uns in einer anderen Zeit erwartet. Ich glaube, dass Geschehenes nicht ungeschehen gemacht werden kann. Wenn jemand zurück in die Zeit reisen würde und verhindern würde, dass ich geboren werde, kann das nicht funktionieren weil ich schon geboren worden bin. Von dem Zeitpunkt an, als ich geboren worden bin, bis zum heutigem Tag habe ich mich durch unzählige Gegenwarten verschoben und in jeder bin ich jeweils präsent, in unterschiedlichen Altern entlang meines Lebenslaufes. Ich möchte es philosophisch ausdrücken: Ich glaube, dass selbst Gott nicht die Macht hat, mich ungeschehen zu machen, weil selbst diese Tat Zeuge meiner Existenz wäre.

Ich möchte durch diese Aussage nicht zu blasphemisch wirken. Ich verbinde Gott mit der Schöpfung und nicht mit dem Gegenteil und verfolge demnach die Logik der Existenz. Wenn wir auf einer endlos langen Straße laufen und plötzlich ein Stück zurücklaufen und dann an einer Stelle die Straße zerstören, ist der weitere Verlauf der Straße (unser Lebensweg) immer noch da. Mit seinen Verbindungen und Abzweigungen das Geschehene ungeschehen zu machen ist nicht möglich. Man kann es aber verändern bzw. die Straße neu teeren. Jede Gegenwart in unserem Universum ist aktiv, sie verändert sich ständig. Wenn wir uns auf natürliche Weise in die nächste Gegenwart verschieben, lassen wir Platz für die nächste, das wäre unsere unmittelbare Vergangenheit, die beeinflussbar wäre, durch uns selbst aufgrund einer Zeitreise. Und unsere Zukunft kann natürlich durch unendliche Einflüsse beeinflusst werden, die auch in unserem Alltag immer geschehen. So gesehen sind die Zukunft und die Vergangenheit schon geschehen, aber die Straße wird immer wieder geteert.

Wenn wir eine Zeitreise in die Vergangenheit machen kann, es zum Beispiel ganz anders aussehen als wenn wir es auf natürlichem Wege verlassen hätten. Alle Gegenwarten im universellem Kreislauf sind aktiv und verändern sich ständig aufs Neue.

Das Urelement

Das Universum erlaubt eine Grundaufteilung, Materie und Energie. Wobei Materie und Energie das Gleiche darstellen. Materie wandelt sich langsam in Energie um, indem sie z.B. Gravitation aussendet, diw eine reine Energieform darstellt. Und Energie wandelt sich wiederum in Materie um, z.B. in Schwarzen Löchern, die eine Singularität mit sehr hoher Gravitationskraft darstellen, selbst Lichtenergie wird angezogen und zu Materie wieder verdichtet.

Es gibt eine Vielzahl von Materie- und Energieformen. Man kann sogar sagen, dass eine unendliche Vielfalt von möglichen Verbindungen, Eigenschaften und Verhaltensmöglichkeiten bestehen. Es ist unmöglich, sie alle zu erfassen und zu dokumentieren. Wir stoßen immer wieder an die Grenze unserer technischen Möglichkeiten und jedes Mal gibt es eine neue Entdeckung. Schon Philosophen und Gelehrte vor der Geburt Christus dachten, sie seien an die Grenze der Materie gestoßen, weil sie das Atom (übersetzt: das Unteilbare) für das kleinste Materieteichen hielten, das unteilbar ist. Im Bereich Materie und Energie hat man seitdem eine Menge von neuen Grenzen festgelegt, die immer wieder durch neue Entdeckungen überboten worden sind. Wir stoßen in den Bereich der Unendlichkeit.

Wir könnten diese Unendlichkeit überbrücken, wenn uns bewusst wird, was Energie und Materie sind, da sich diese beiden Begriffe dadurch vereinheitlichen lassen, dass Energie gleich Materie ist und Energie gleich Materie ist. Jeweils immer in einem wechselndem Zustand b.z.w in einem Kreislauf, komme ich zu der Annahme, dass Materie und Energie nur eine Komponente sind, ein Baustein, ein universeller Baustein in Verbindung seines Gleichen, der eine unendliche Vielfalt an Kombinationen und Verhaltensmöglichkeiten besitzt. Ich würde diesen Baustein das **Urelement** nennen. Ein Element, das das Dasein steuert und als ein Baustein universeller Aufbaumöglichkeiten gilt.

In unserem Alltag sind wir immer wieder durch Natur, Umfeld und Technik mit Systemen gefasst, die in ihren Aufbau und natürlichen Kreisläufen eine komplexe Funktionalität haben. Jedes System kann (zumindest im Gedanken) aufgeteilt und in seine Bestandteile aufgearbeitet werden. Jedes Teil hat seine bestimmte Funktion, wobei jedes anders geformt oder aus einem anderen Material beschaffen ist. Selbst die Pflanzen- oder Tierwelt sind in ihrer Anpassung durch Evolution so vielfältig in Form und Farbe, dass nichts überflüssig ist. Wir wissen, welche Funktion die Kralle eines Raubtiers hat oder eine Baumwurzel.

Wenn Wissenschaftler mit einem neuen Phänomen konfrontiert werden, gehen sie systematisch vor. Man untersucht die Funktionalität, das Verhalten seiner Materie u.s.w. Das komplizierteste System, das wir kennen, ist das Universum. Er beinhaltet alles. Mir ist bewusst, das es alle Materie, Energien, Atome und Elemente in seiner ganzen Vielfalt beinhaltet. Auch wir Menschen mit unseren Bewusstsein sind ein Teil davon, und das Weltall funktioniert. Der größte Fehler den wir begehen ist, wenn wir es begreifen wollen, ist, das Weltall in Gedanken zu zerlegen und die Funktion von bestimmten Atomen oder Energien zu untersuchen. Das Weltall ist nicht aus verschiedenen Bestandteilen aufgebaut, die die Funktion gewährleisten. Jedes Element oder Energie verwandelt sich durch natürliche oder künstliche Prozesse in etwas anderes, mit ganz anderen Eigenschaften um. Egal welches Element wir als Säule unseres

Universums benennen, es kann sich zu einem komplexeren durch Materie-Aufnahme oder zu einem einfacheren durch Materien-Abgabe umwandeln. Funktionalität und Verhalten sind von Mal zu Mal anders, so das wir keine theoretische Basis erhalten. Wir kommen nur weiter, wenn wir zumindest in Gedanken ein Element bis auf das kleinste Zerlegen.

Ein Bleiatom zum Beispiel, das eine „Abmagerungskur" macht, wandelt sich meiner Meinung nach immer in ein leichteres Atom b.z.w Element, bis es sich ganz in Energie umgewandelt hat. Wenn wir das auf natürliche Weise geschehen lassen, verliert es seine Materie, indem es Gravitationsfluss abgibt. Das ist ein Vorgang, der sehr lange dauert, eine Ewigkeit. Jede Materie sendet Gravitation aus. Diese Gravitation erzeugt Masse und diese wirkt sich auf andere materielle Körper aus. Das ist Wissenschaftlich erwiesen.

Wenn wir davon ausgehen, dass unser Bleiatom kein *Perpertuum Mobile* ist, müssen wir annehmen, dass Materie sich in Gravitation umwandelt, bis vom Atom nichts mehr übrig ist. Das ist ein kollektives Verhalten der gesamten Materie. Sämtliche Materieformen in unserem Universum üben Anziehungskräfte aus, indem sie Gravitation aussenden. Selbst Sterne mit sehr hohen Temperaturen senden Gravitation. Die logische Schlussfolgerung ist: Materie besteht aus Gravitation b.z.w Gravitationsteilchen. Ich würde sogar sagen, Gravitationsteilchen sind die Bauteile unseres Universum. Das Urelement, dieses Element hat Eigenschaften, die es einzigartig machen. Die Gravitationsteilchen, die sich im Weltraum befinden, beeinflussen auch sämtliche Energieformen. Wenn sie in Singularitäten wie Schwarzen Löcher verdichten oder der gesamte Inhalt des Weltalls zu einer Urmaterie verdichtet wird, ist das Einzige, was austritt das Urelement b.z.w Gravitationsteilchen.

Ich glaube, unser Weltall ist einfach aufgebaut , aus einem einzigen Baustein mit einem Grundverhalten und unendlichen Zusammensetzungen b.z.w Kombinationsmöglichkeiten. Bei jeder Kombination entsteht ein entsprechendes Verhalten. Das Urelement ist keine Energieform, es lässt sich nicht teilen oder in etwas Anderes umwandeln. Seine Motorik besteht darin sich, von anderen seines Gleichem abzustoßen. Er verträgt sich nicht mit seines Gleichen. Er ist nicht Materie und nicht Energie. Nur bei einer ungewollten Gemeinschaft kann er zu Materie oder Energie werden. Es wandelt sich anderseits zu Gravitation um. Gravitation sorgt auch für Bewegung im Weltall, und durch Bewegung entsteht die vierte Dimension.

Einfache Zusammensetzungen ergeben eine leichte Energieform. Wenn die Anzahl ansteigt, geht es irgendwann auf Materie über. Materie zeichnet sich dann aus,wenn die Anzahl der Urelemente so zhlreich ist,das ein Kern in der Lage ist, eine Hülle aufzubauen. Dieser Vorgang passiert natürlich auch umgekehrt: Die Atome schmelzen sozusagen, weil das Urelement seinesgleichen abstößt.

Wenn man die Oberfläche eines Atomkerns vor Augen hat, können sich nur Teilchen an der Oberfläche abstoßen, nicht die im Innern. Es entsteht eine Kettenreaktion, die eine Ewigkeit dauert, bis ein Atom sich verbraucht und es durchläuft viele Stufen, bekommt viele Gesichter mit immer neuen Eigenschaften bis es die Skala der Energieteilchen durchläuft. Wenn man es jedoch spaltet wie z.B. ein Uranatom, kann man einen Teil des Kerns sofort in Energie umwandeln. Die Bruchstücke, die übriggeblieben sind, können keine Hülle mehr aufbauen und sind damit nicht mehr fähig sich in ein Atomgitter einzufügen. In dem menschlichen Lebensraum können sie erheblichen Schaden anrichten. Bis diese Bruchstücke sich vollständig in Gravitation bzw. Urelemente umgewandelt haben, kann es sehr lange dauern. Je nach Halbwertszeit.

Das Urteilchen unterliegt einem universellen Prozess, den es sich selbst zufügt. Es kann in seiner Nachzeit als Einzelteil das ganze Universum zusammenziehen zu einer Urmaterie und als Einzelgänger hat es die Fähigkeit, aus dieser herauszukommen und zwar in Form von Gravitation. Wenn diese Urmasse so dicht geworden ist, dass keine Gravitation bzw. Urelemente mehr austreten können, führt es zum Kollaps bzw. Urknall, und der Kreislauf fängt wieder von Neuem an.

Der Physikalische Teppich

Das schwierigste Vorhaben für mich ist zu erklären, wie eine Bewegung eines beliebigen Objektes, das man an in eine solche versetzt entsteht. (Der vorstehende Satz ist unvollständig) Es ist etwas Alltägliches und Natürliches. Man hat sich an diesen Prozess der Bewegung der Masse gewöhnt. Das es unverständlich erscheint eine Funktion Erklärung zu bekommen.(Der vorstehende Satz ist unverständlich) Dabei gibt es Gegensätze. Um ein Auto zu bewegen, brauchen wir eine Menge Energie. Die Erde jedoch bewegt sich durch den Raum zum Nulltarif und wird dabei ständig von der Sonne angezogen bzw. bedrängt. Sie behält ihre Geschwindigkeit trotzdem bei. Wenn ein Astronaut im Weltraum einen Gegenstand von sich wegschleudert, bleibt dieser Gegenstand so lange in Bewegung, wie er nicht von einer anderen Kraft beeinflusst wird, und das kann ewig dauern. Selbst wen wir Fliehkräfte in Verbindung mit Anziehungskräften kombinieren, reicht es für die Erklärung der Bewegung nicht aus. Ein Gegenstand der sich im Weltraum bewegt, braucht einen Träger. Der Schall z.B. wird durch die Luft getragen. Beim Schall inszenieren wir einen Prozess, indem wir den Schall abgeben. Nur wenn Luft in der Umgebung vorhanden ist, kann der Schall weitergetragen werden.

Im Weltraum wie auch auf der Erde gibt es Gravitation im Überfluß. Ich glaube, das ist der Träger der gesamten Materie. In meinem erstem Buch erklärte ich, die das Masse in die Materie entsteht, wenn diese einer Gravitation ausgesetzt wird. Da das Weltall von Gravitation durchflutet ist, ganz besonders in der Nähe von Himmelskörpern wie der Erde, gibt es in jeder Materie Masse, auch in unseren Körpern. Der

Träger dieser auf natürlicher Weise entstandenen Masse ist die Atomhülle jedes Atoms. Wenn wir auf einem Himmelskörper mit hoher Gravitation stehen, wird in unsere Atomhüllen mehr Gravitation gepumpt, wir haben dementsprechend mehr Masse und wiegen mehr.

Bei einer schnellen Bewegung pumpen wir plötzlich mehr Gravitationsfluss in unsere Atomhüllen und haben dadurch eine künstliche Massezunahme bzw. kinetische Kraft. Diese behalten wir konstant bei, so lange unsere Bewegung konstant bleibt. Während dieser Bewegung entsteht ein Gleichgewicht der Gravitation im Innern der Atomhülle und außen. Da die Bewegung in einem Gravitationsfluss stattfindet, kann mehr Gravitation im Innern aufgebaut werden, wenn wir schneller werden, weniger, wenn wir langsamer werden. Wenn wir stehen bleiben, haben wir wieder unsere natürliche konstante Masse. Dieses Wechselspiel entsteht bei jeder Bewegung. Wenn wir uns anderseits auf technologischem Wege von der Gravitation isolieren würden (technisch bis heute noch nicht möglich), würden wir unsere Masse verlieren, eine Bewegung auf der Basis Aktion-Reaktion wäre dann nicht mehr möglich.

Alle Bewegungsabläufe im Weltall basieren auf dem Prinzip Aktion-Reaktion mit folgendem künstlichem Masseaufbau, der dadurch gewährleistet wird, dass ein physikalischer Teppich aus Gravitation in dem Weltraum von der Materie verteilt wird, damit die Bewegung gewährleistet ist.

Zusammenfassend ist mein universelles Weltbild in seinem Aufbau aus einem einzigem Baustein zusammengesetzt, dem Urelement. Damit ist ein einziges Teilchen aus einem Gravitationsfluss gemeint. Alle Materie und Energie im Weltall bestehen aus unzähligen Urelementen, ein einzelnes stellt keine Materie oder Energie dar. Auch wenn seine Reaktion zu seines Gleichen aus unserer Sicht ein energetisches Verhalten aufweist. Dieses Element ist jedoch unterteilbar und ist nicht verbrauchbar oder umwandlungsfähig wie eine allgemein beliebige Energieform. Wenn dieses Element anfängt, sich mit seines Gleichen zusammenzusetzen, ergibt sich daraus Materie oder Energie, die wandelbar oder auch teilbar ist.

Je nach Anzahl und Zusammensetzung gibt es unendliche Kombinationsmöglichkeiten. Einfache Zusammensetzungen ergeben eine leichte Energieform. Wenn die Anzahl ansteigt, geht es irgendwann auf Materie über. Materie zeichnet sich dann aus, wenn die Anzahl der Urelemente so zahlreich ist, dass ein Kern in der Lage ist, eine Hülle aufzubauen. Dieser Vorgang passiert natürlich auch umgekehrt: die Atome schmelzen sozusagen, weil das Urelement seines Gleichen abstößt. Wenn man die Oberfläche eines Atomkerns vor Augen hat, können sich nur Teilchen an der Oberfläche abstoßen, nicht die im Innern. Es entsteht eine Kettenreaktion, die eine Ewigkeit dauert, bis ein Atom sich verbraucht. Und es durchläuft viele Stufen, es bekommt viele Gesichter mit immer neuen Eigenschaften bis es die Skala der Energieteilchen durchläuft. Wenn man es jedoch spaltet, wie z.B. ein Uranatom, kann man einen Teil des Kerns sofort in Energie umwandeln. Die Bruchstücke, die übrig geblieben sind, können keine Hülle mehr aufbauen und sind damit nicht mehr fähig, sich in ein Atomgitter einzufügen. In dem menschlichen Lebensraum können sie erheblichen Schaden anrichten. Bis diese Bruchstücke sich vollständig in Gravitation b.z.w Urelemente umgewandelt haben, kann es sehr lange dauern, je nach Halbwertszeit.

Das Urteilchen unterliegt einem universellen Prozess, den es sich selbst zufügt. Es kann in seiner Nachzeit als Einzelteil das ganze Universum zusammenziehen zu einer Urmaterie, und als Einzelgänger hat es die Fähigkeit, aus dieser herauszukommen und zwar in Form von Gravitation. Wenn diese Urmasse so dicht geworden ist, dass keine Gravitation b.z.w Urelemente mehr austreten können, führt es zum Kollaps b.z.w Urknall, und der Kreislauf fängt wieder von Neuem an.

Die Entstehung der Vierten Dimension

Wenn ein Flugkörper eine Zeitreise unternehmen würde und er auch die dazugehörigen Voraussetzungen erfüllen würde, müsste er genau wissen, zu welchem Himmelskörper und in welcher Gegenwart er eintauchen möchte.

Vorausgesetzt, die Sterne A und B in Zeichnung C (d. S. 41) besitzen jeweils einen Planeten. Durch die eingezeichnete Flugroute in der Zeichnung C könnte es passieren, dass unser Flugkörper entweder bei Stern A in die Zukunft reist oder bei Stern B in die Vergangenheit. Da beide Objekte eine entgegengesetzte Flugrichtung haben, kann eine Kontraversität entstehen. Maßgebend ist in diesem Falle der Bezugspunkt. Zu berücksichtigen, alles hat einen Bezugspunkt. Für uns Menschen ist die Erde der Bezugspunkt. Für die Erde die Sonne usw. Wenn die Flugroute in der Zeichnung C in dem Gravitationsbereich von Stern A liegt, reist er in die Zukunft des letztgenanten. Andernfalls in die Vergangenheit von Stern B.

An diesem Beispiel wird deutlich, wie die Zeit entsteht: durch einfache Bewegung, die dadurch ermöglicht wird, dass die Materie einen Gravitationsfluss in den Raum aussendet und dadurch eine Verkettung von Ereignissen auslöst. Ereignissen, die auf der Grundlage basieren, dass das Weltall einen Inhalt besitzt. Ein Weltraum ohne Inhalt kann nicht existent sein. Erst der Inhalt mit seinem Verhalten kann das Universum erschaffen. Da der Inhalt sich ständig verändert, entsteht immer wieder ein neuer Raum. Den Fehler, den wir begehen, wenn wir das Universum begreifen wollen, besteht in der Annahme, wir seien immer im gleichem Weltraum. Dabei erneuert er sich ständig in einem riesigen Kreislauf von

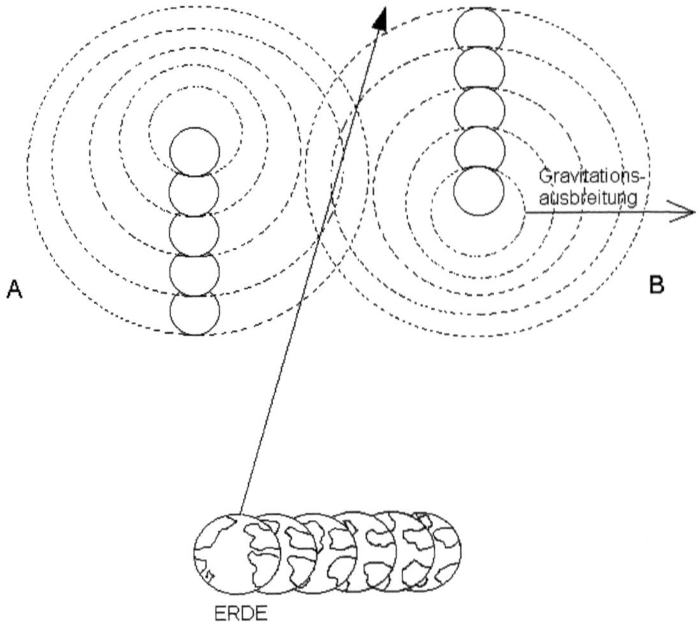
Gravitations-
ausbreitung
A
B
ERDE

Gegenwart zu Gegenwart und dabei ist er allgegenwärtig. Sein gesamter Zyklus dauert eine Ewigkeit an, er ist wie eine unendliche Strasse, die wieder an ihren Ursprung führt. Wir sind auf einem winzigem Teilstück dieser Strecke und begegnen uns ständig in einer neuen Gegenwart. Aktiv sind aber alle Teilstücke dieses unendlichen kosmischen Kreislaufes in seiner Unendlichkeit von Räumen. Aus unserer Perspektive aber ist nur unsere Gegenwart präsent.

Zusammenfassend ist zu bedenken, dass die Physik und die vier Dimensionen aus einem Grundverhalten entstehen. Das Grundverhalten des Urelements bzw. das der Gravitationsteilchen führt zur Schlussfolgerung, dass sich hinter dem Aufbau des Universums keine Kreativitätverbirgt. Diese entsteht jedoch aus den Folgen des Verhaltens im Inhalt. Die Forschung sollte sich mehr der Gravitation als Urphänomenen und Ursachen zuwenden. Denn darin liegt der Schlüssel, der die menschliche Gemeinschaft zu neuen Erkenntnissen führt.

Wenn es einen Schöpfer gibt, hat er symbolisch gesehen nur auf den Knopf gedrückt und das Universum in Gang gesetzt. Wir, die menschliche Gesellschaft, sind das Ergebnis, das über sich selbst nachdenkt. Es liegt aber nicht in der Macht unseres Schöpfers, was wir aus uns machen, sondern wir sind alle auf uns selbst gestellt.

Bereits erschienen:

Calogero Bascone

Meine Physik

Auf dem Weg zur Weltformel

Inhaltsverzeichnis

ISBN 3-00-001853-0